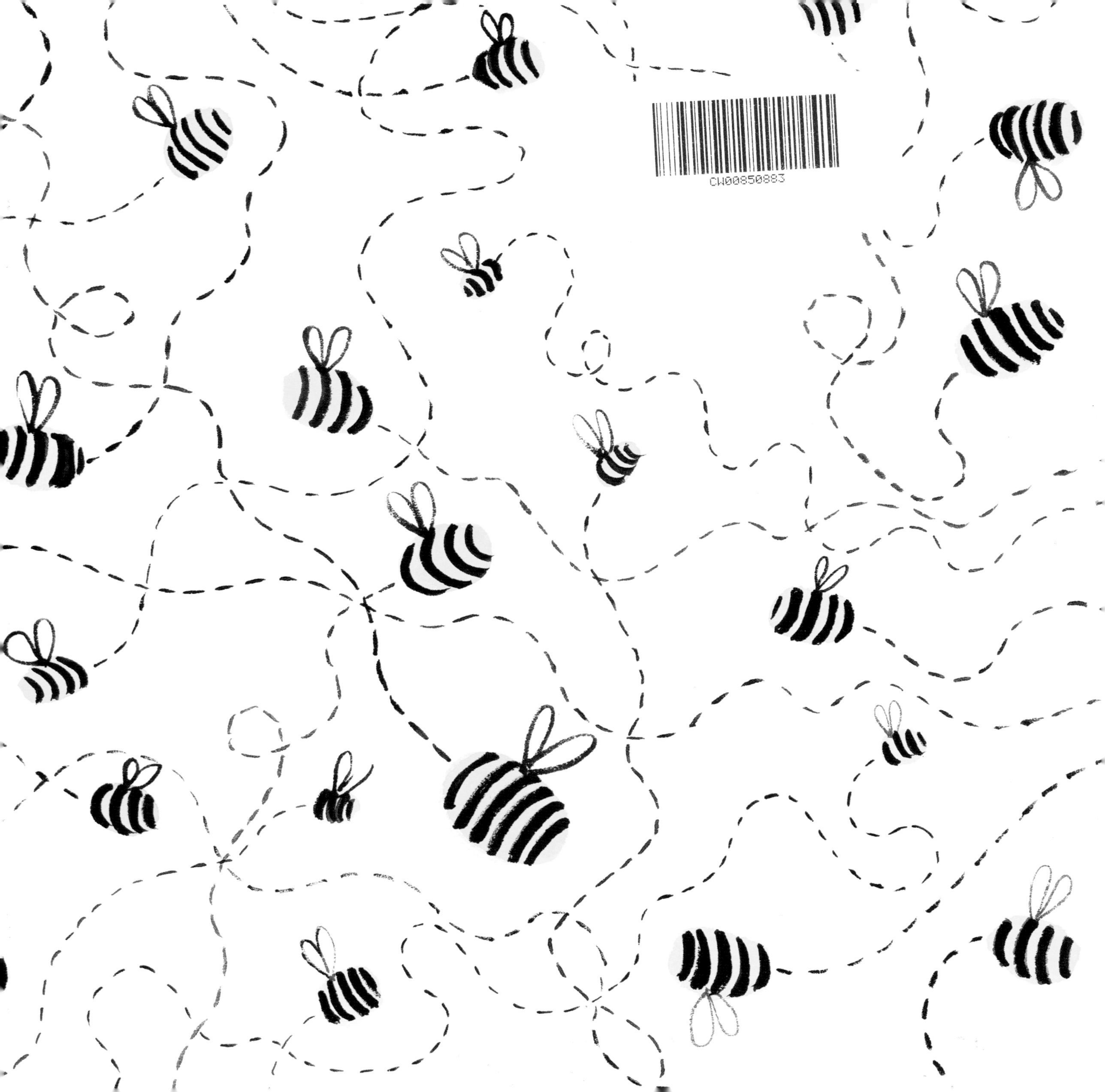
CW00850883

CRIW'R COED
A'R GWENYN COLL

I fy nghriw arbennig i – Loti, Ifan, Beca ac Irfon.
Diolch am gredu.

Argraffiad cyntaf: 2020
Ail argraffiad cyntaf: 2021

Dymuna'r cyhoeddwyr gydnabod cymorth ariannol Cyngor Llyfrau Cymru.

Rhif llyfr rhyngwladol: 978 1 78461 908 4

Cyhoeddwyd ac argraffwyd yng Nghymru
gan Y Lolfa Cyf., Talybont, Ceredigion, SY24 5HE
e-bost: ylolfa@ylolfa.com
y we: www.ylolfa.com
ffôn: 01970 832304
ffacs: 01970 832782

CRIW'R COED
A'R GWENYN COLL
Carys Haf Glyn
Lluniau Ruth Jên
y lolfa

Mewn hen, hen goedwig, o dan hen, hen goeden roedd yna griw o hen, hen, hen anifeiliaid yn byw – Gwdi-Hw, Carwww, Mwyalchen, Eryr a Chwim yr eog. Nhw oedd Criw'r Coed ac… anifeiliaid hynaf y byd!

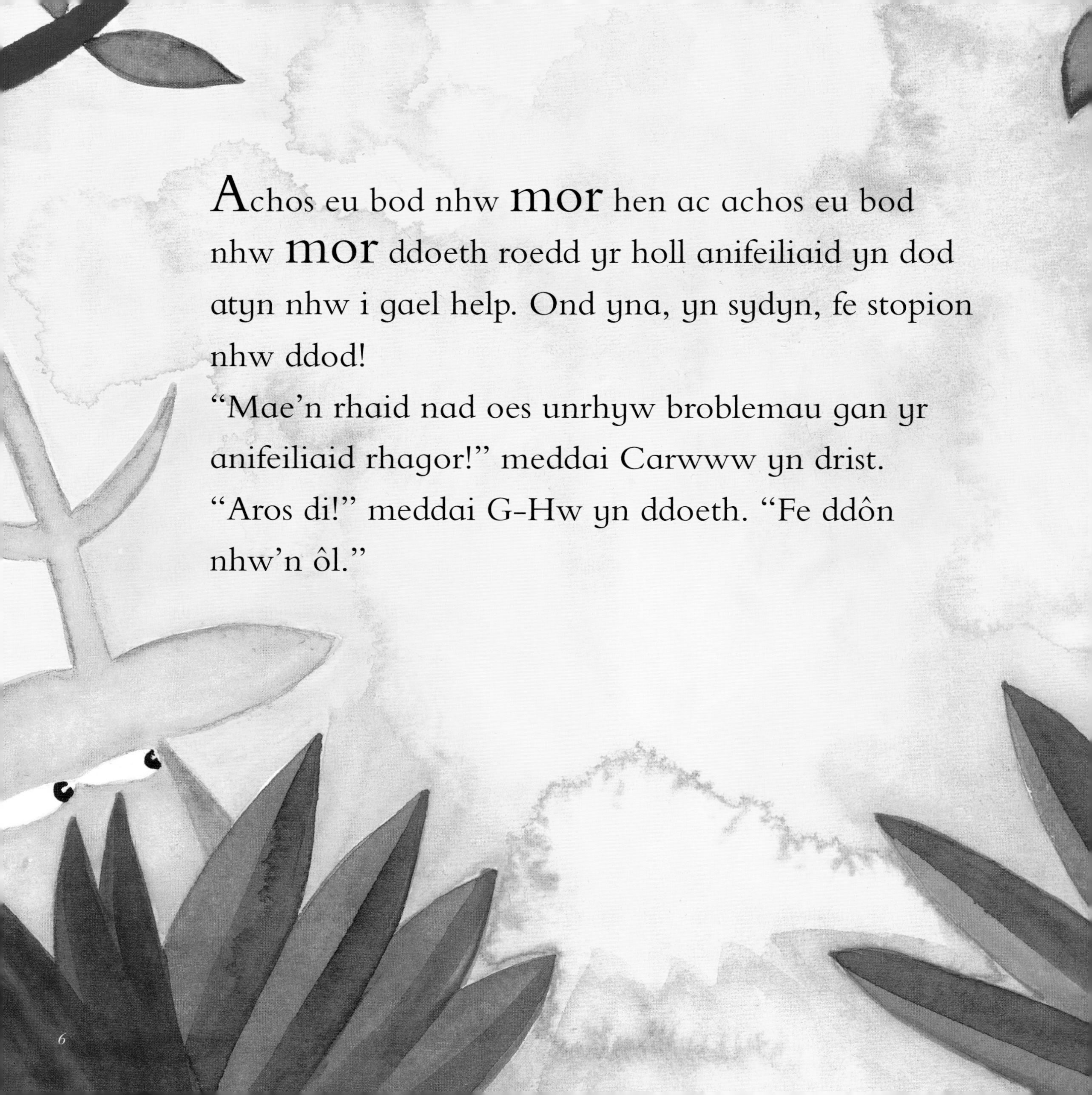

Achos eu bod nhw **mor** hen ac achos eu bod nhw **mor** ddoeth roedd yr holl anifeiliaid yn dod atyn nhw i gael help. Ond yna, yn sydyn, fe stopion nhw ddod!

"Mae'n rhaid nad oes unrhyw broblemau gan yr anifeiliaid rhagor!" meddai Carwww yn drist.

"Aros di!" meddai G-Hw yn ddoeth. "Fe ddôn nhw'n ôl."

Felly fe arhoson nhw…
Ac fe arhoson nhw…

Un diwrnod stopiodd Carwww yn stond.
Roedd sŵn siffrwd yn y coed.
Roedd rhywbeth yn dod.

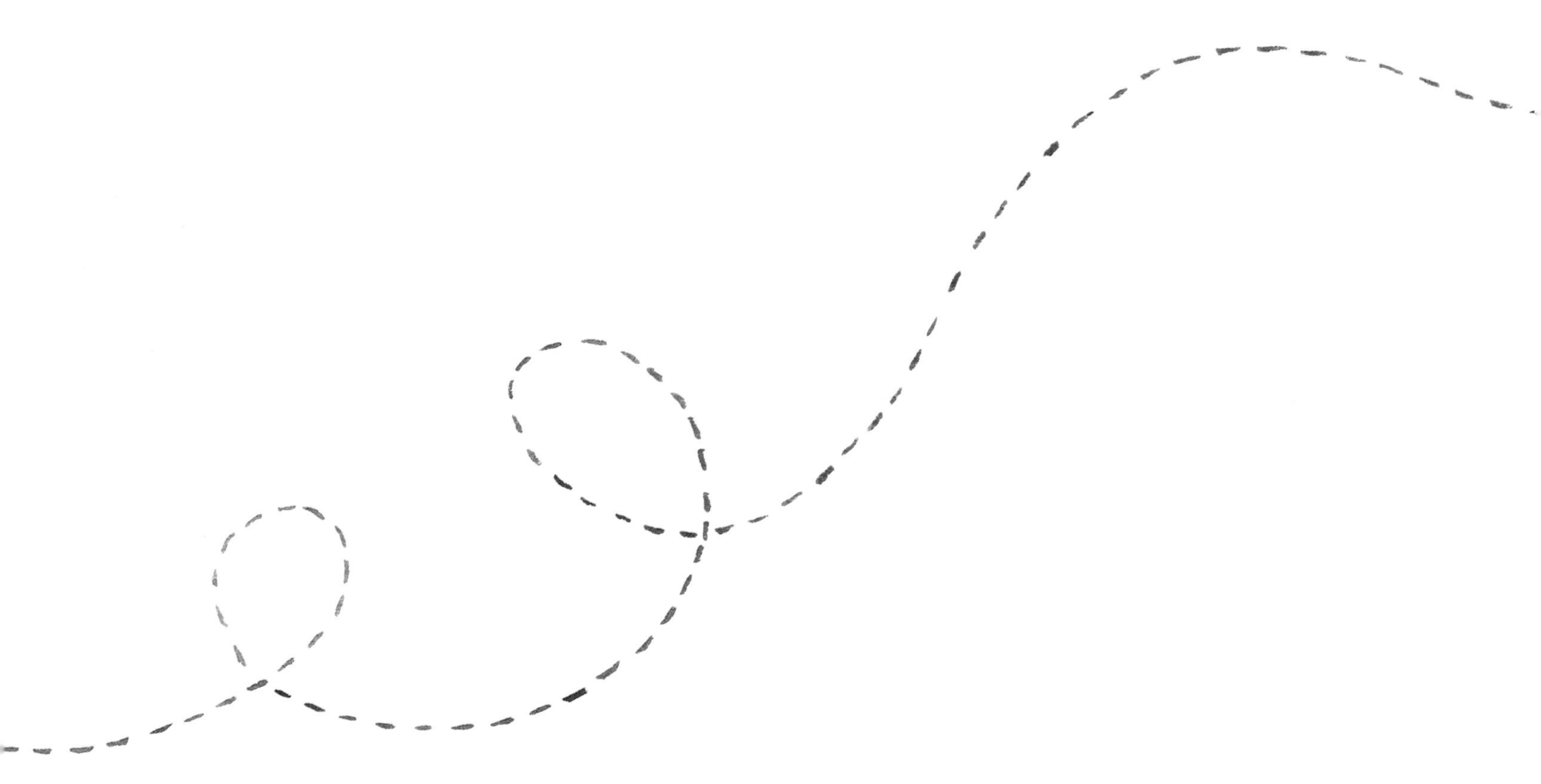

"Rwy'n clywed mwmian.
Rwy'n clywed hymian," rapiodd G-Hw.

Roedd y sŵn yn dod yn nes ac yn nes.

Edrychodd Criw'r Coed i fyny ac i lawr ond doedden nhw'n gweld dim!

Yna…

"Esgusodwch fi," meddai llais bach.
"Gwenynen!" meddai Eryr gan
syllu a phwyntio.

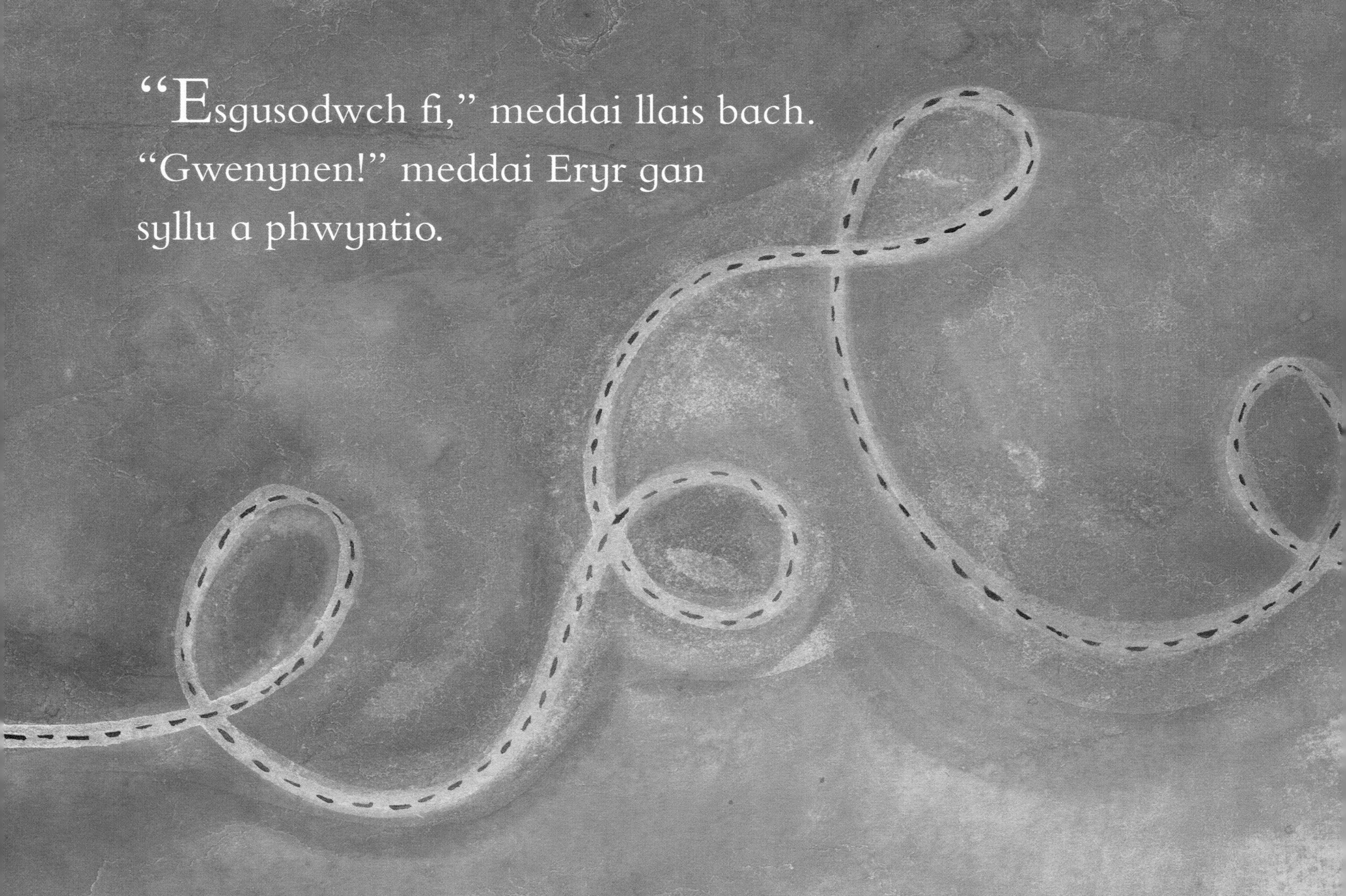

Galwodd G-Hw ar Gwenynen i ddod yn nes.
"Croeso mawr i'n coedwig ni.
Nawr dwed, beth sy'n dy boeni di?"

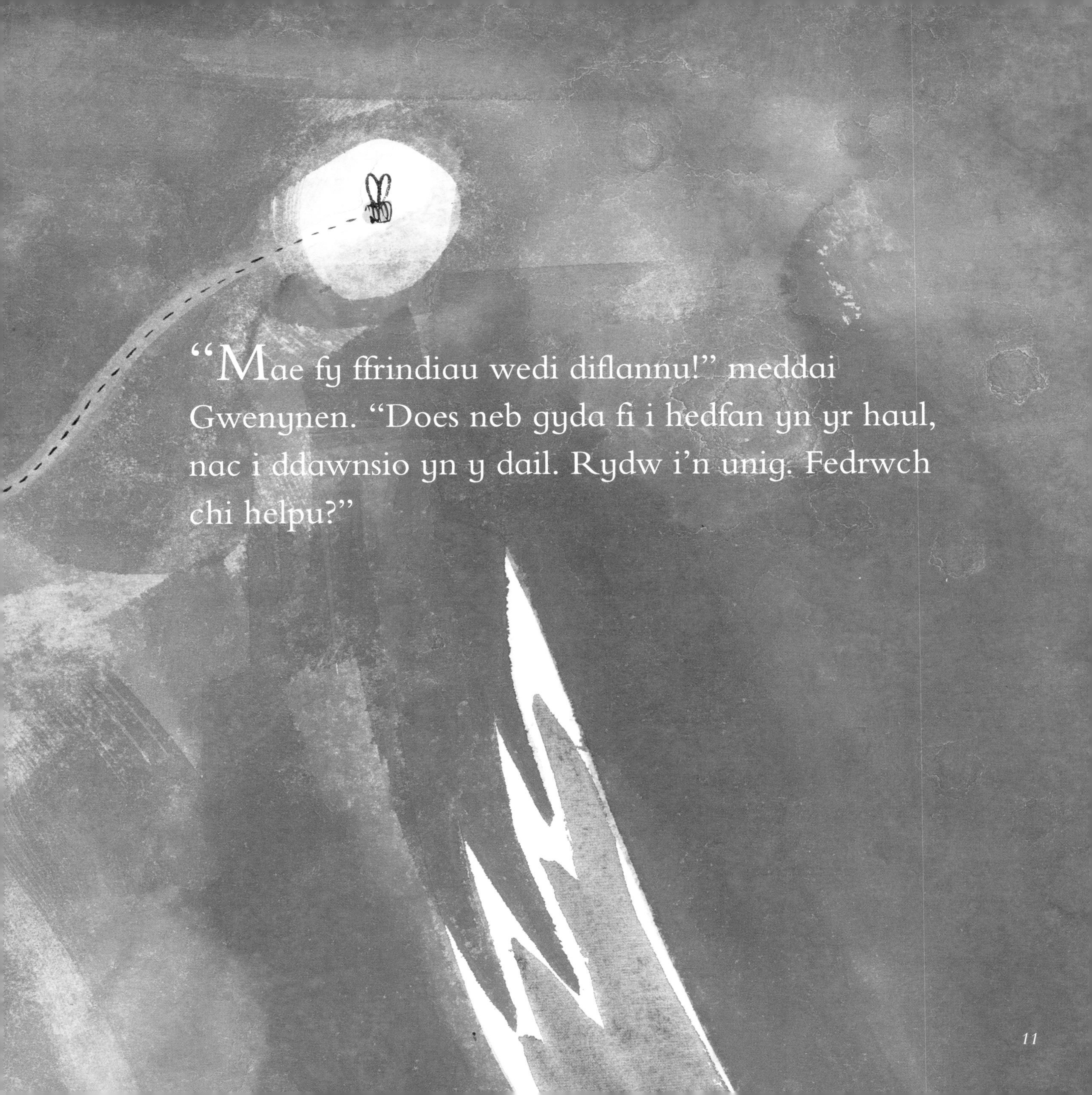

"Mae fy ffrindiau wedi diflannu!" meddai Gwenynen. "Does neb gyda fi i hedfan yn yr haul, nac i ddawnsio yn y dail. Rydw i'n unig. Fedrwch chi helpu?"

Gwenodd Criw'r Coed ar ei gilydd!
Roedd yr amser wedi dod.
Un, dau… un, dau, tri.

"Rydyn ni'n hen ac rydyn ni'n ddoeth,
Ac mae ambell **un** yn hollol **noeth,**
Gyda G-Hw, Er, Mal, Carwww a Chwim
Heb os gei di ateb i dy broblem mewn dim.
Sdim problem yn rhy fawr yn y byd i gyd,
Achos ni yw'r anifeiliaid hynaf yn y byd."

"Bant â ni i Gymru i ddatrys
dirgelwch y gwenyn coll!"
hwtiodd G-Hw.

NOETH

NOETH
NOETH
NOETH
NOETH

"Dydw i ddim eisiau gweld **mwy** o wenyn," sibrydodd Carwww wrth Chwim. "Rwy'n falch eu bod nhw'n diflannu!"

"Carwww! Mae gwenyn yn bwysig iawn! Heb wenyn byddai ffrwythau, llysiau a blodau yn diflannu!"

"Dim afalau?" gofynnodd Carwww.

"Dim moron. Dim mefus. A dim afalau!" atebodd Chwim.

“AAAA!”

meddai Carwww. “Rwy’n hoffi afalau!”

Pan gyrhaeddon nhw Gymru roedd hi’n amlwg fod rhywbeth o’i le…

"Eryr, galwa ar dy bŵer syllu syfrdanol,"
meddai G-Hw.

Dechreuodd llygaid Eryr befrio.

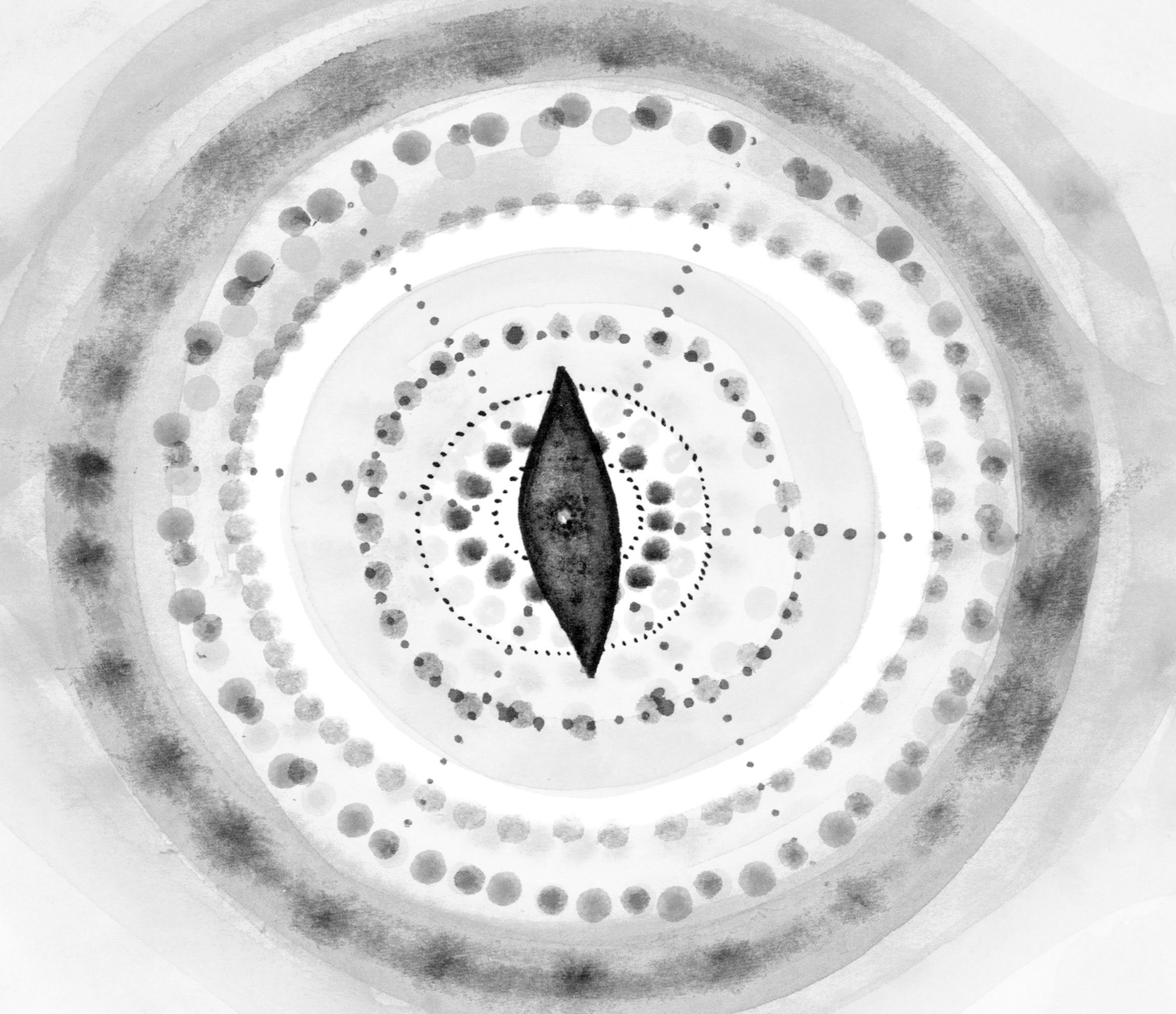

"Does dim caeau," meddai'n syn. "Ers talwm, roedd Cymru yn llawn o gaeau gwyrdd, perthi prydferth a llwyni llachar. Ond heddiw mae'r dolydd wedi diflannu."

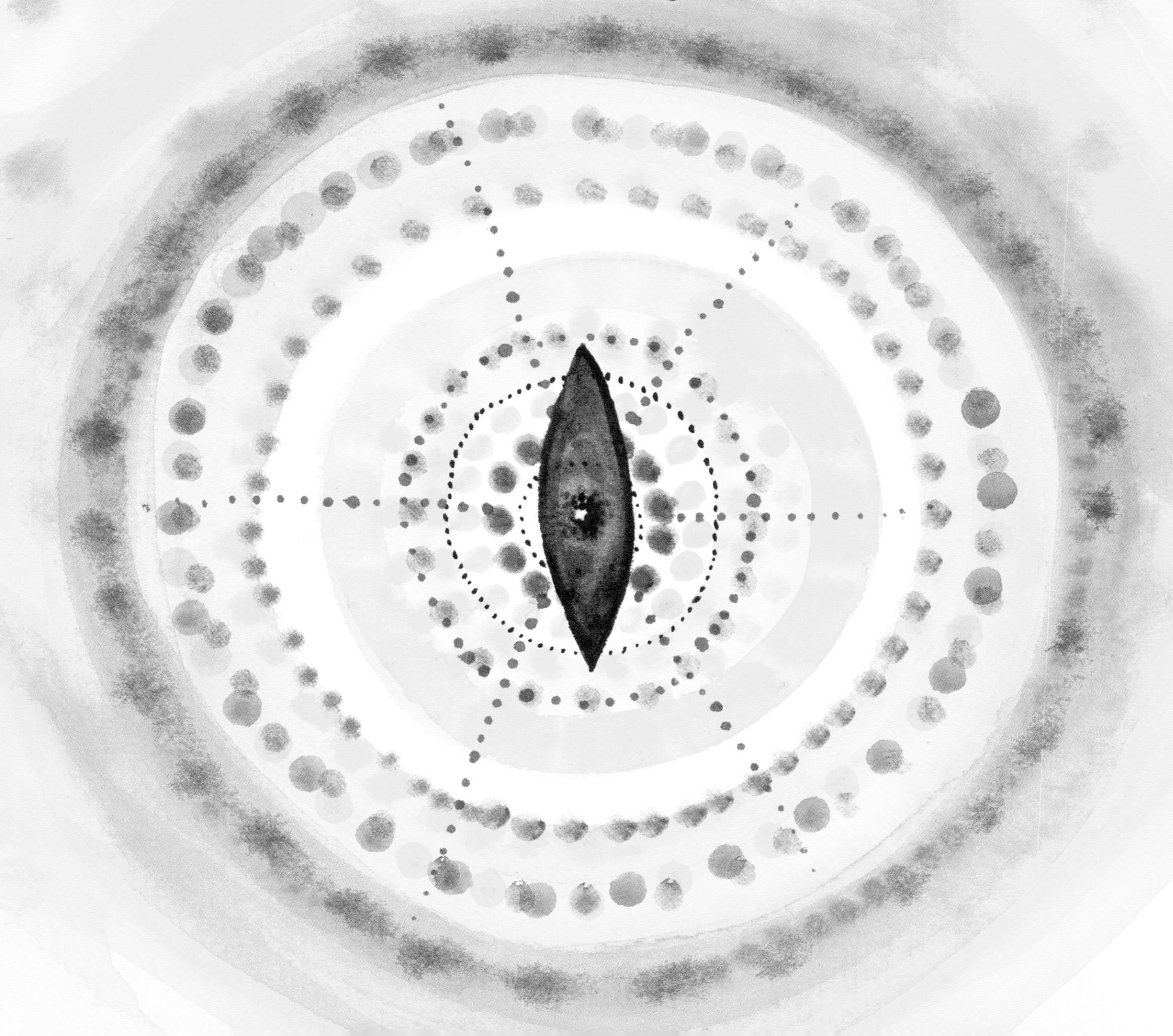

"Chwim, galwa ar dy bŵer arogli anhygoel,"
meddai G-Hw.
Snwffiodd Chwim yr awyr.
"Does dim blodau!" meddai'n syn.
"Ers talwm roedd Cymru yn
llawn o flodau gwyllt –
pabis prydferth,
briallu bendigedig a
rhosynnod rhyfeddol.
Ond heddiw mae'r
aroglau arbennig
wedi diflannu."

"Carwww, galwa ar dy glustiau gwych,"
meddai G-Hw.
Dechreuodd clustiau Carwww grynu.
"Does dim hymian!" meddai'n syn.
"Ers talwm roedd Cymru yn llawn o wenyn
gwyllt ac roedd eu suo ym mhob man.
Ond heddiw mae'r hymian hyfryd
wedi diflannu."

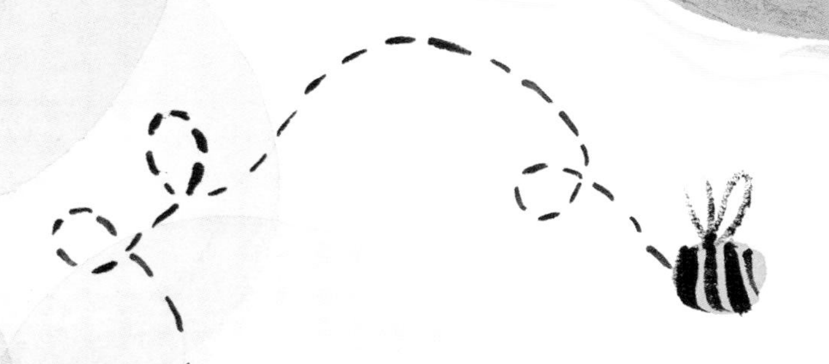

Dechreuodd Gwenynen grio.
"Rydw i mor unig," meddai. "Fedrwch chi
fy helpu i gael fy ffrindiau yn ôl?"

Cododd G-Hw ei hwd. Casglodd y criw o'i gwmpas i glywed y cynllun:

"Mae angen mwy o flodau,
Ac mae blodau'n dod o hadau,
Felly bagiau llawn o hadau
Sydd eu hangen arnon ni.

Ac wedi gorffen hynny
Fe af i ac Er i fyny,
Gyda'r bagiau ar ein cefnau
Fe hedfanwn fry, fry, fry.

A nesaf yn y cynllun
Fydd gwylio'r hadau'n disgyn
Fel diferion glaw, yn sydyn,
Gan sblasio dros y tir.

Yn y gerddi, yn y parciau,
Dros y tai ac ar gylchfannau,
Yr hadau fydd yn glanio
A daw'r blodau'n ôl yn llu."

Roedd Criw'r Coed wedi blino'n lân. Roedden nhw wedi llwyddo i helpu dipyn bach ond er mwyn achub yr **holl** wenyn byddai angen help

pawb!

"Galwa ar dy bŵer **canu campus**, Mal," meddai G-Hw. "Mae'n rhaid i ni rannu'r neges bwysig hon dros y byd i gyd."

Hedfanodd Mal i ben y gangen uchaf, a dechrau canu:

"Anifail neu blentyn
Gyda phlu neu groen,
Gwrandewch arna i'n astud,
Mae'r gwenyn mewn poen.

Ond mae helpu yn hawdd,
Ewch allan i'r ardd
Gyda llond llaw o hadau
Ac fe ddaw blodau hardd.

Mewn chwinciad chwannen
Edrychwch fyny fry,
A'r gwenyn fydd yn heidio
'Nôl i'n Cymru fach ni."

Lledaenodd melodi Mal o Gaernarfon i Gaerffili,
o Abertawe i Aberystwyth.

"Oes," meddai anifeiliaid hynaf y byd.

"Mae'r blaned yma'n perthyn i **bawb.**"

"Felly, dyna'r ateb, mae'n rhaid i bob un helpu," meddai Gwenynen.

Edrychodd G-Hw ar yr haul yn machlud.
"Mae'n amser i ni bacio,
Mae'n amser i ymlacio," rapiodd.

"Diolch am yr holl help," meddai Gwenynen. "Rwy'n edrych ymlaen at weld fy ffrindiau eto!"

" Does dim Problem yn rhy fawr... "

“Cofia, Gwenynen,” hwtiodd G-Hw o’r awyr.
“Sdim problem yn rhy fawr yn y byd i gyd,
Achos ni yw’r anifeiliaid hynaf yn y byd.”

Tan y tro nesaf.